몬스터

MONSTER

글/그림 김태희

이 책은 내가 몬스터를 만나며 쓴 책이야!

-꽥이-

몬스터 MONSTER

발　행 | 2024년 8월 1일
저　자 | 김태희
펴낸이 | 한건희
펴낸곳 | 주식회사 부크크
출판사등록 | 2014.07.15.(제2014-16호)
주　소 | 서울특별시 금천구 가산디지털1로 119 SK트윈타워 A동 305호
전　화 | 1670-8316
이메일 | info@bookk.co.kr

ISBN | 979-11-410-9821-6

www.bookk.co.kr

몬스터

MONSTER

김태희 지음

차 례

집필 : 2024.05.08.(수)~2024.06.13.(목)

머리말

글 / 그림 김태희

2014년 서울에서 태어난 김태희는 작가가 꿈입니다. 집에서 글쓰기와 그림그리기를 매우 좋아하는 김태희는 A4 용지를 이용해 그림책을 만들며 작가의 꿈을 꾸고 있습니다. 그러던 중 '떠돌이 개 덕구', '야구책'을 출판하고 이어서 '몬스터' 책을 출판하게 되었습니다.

김태희가 손으로 A4 용지에 그림과 글로 '몬스터'를 쓴 것을 아빠(김권종)가 컴퓨터로 그대로 입력하여 부크크를 통해 책을 출판하게 되었습니다.

이 책을 출판할 수 있게 김태희에게 재능을 주신 하나님께 먼저 감사드립니다.

김태희의 엄마(이수연), 오빠(김태은), 늘 매일 기도해 주시는 할아버지(김주관), 할머니(박용진), 큰고모부(이석우 목사), 큰고모(김완옥:김사라 사모), 이엘리 언니, 이하리 언니, 외할머니(성홍주), 외삼촌(이항용)에게 감사드립니다.

'몬스터'를 읽고 모든 사람이 꿈과 희망을 품기를 바라며 이 책을 추천해 드립니다.

제1화 얇은 일기장

내 이름은 잭이다.

나는 항상 몬스터들을 만나보고 싶었다.

어른들은 몬스터가 없다고 생각하지만

난 꼭 몬스터를 찾고 싶다.

하지만, 그것도 막상 쉬진 않을 것이다.

왜냐하면 늘 내가 몬스터를 어떻게 찾을지

일기장에 수백 개나 썼지만
난 단단한 울타리가 있는 농장에 사는
오리라 기계는커녕 밥통과 지푸라기들밖에 없었다.
하지만, 난 꼭 몬스터를 찾고 싶다.

몬스터는 어떻게 생겼을까?
몬스터는 무엇을 먹을까? 이런 게 궁금했다.

난 꿈이 몬스터 작가다.
몬스터에 관해서 많은 책을 쓰고 싶었지만
실제로 몬스터를 만나보진 않은 터라
내 예상이 안 맞을까 봐
직접 책을 써 보지는 않았다.

농장의 다른 동물들도 몬스터는 없다고 했다.
하지만, 난 몬스터를 꼭 찾아낼 것이다.
그리고 모두가 알아줬으면 하는 게 있다.

난 이야기책, 그림책, 소설책들도 많이 써 왔다.
하지만, 농장에서 내 이야기를 들어줄 수 있는 동물은 없었다.

양계장의 암탉들은 알을 낳느라 바빴고,
수탉은 계획적이라 계획표를 만드느라 바빴고,
젖소와 소들은 젖을 짜고 먹느라 바빴고,
돼지들은 간식을 먹느라 바빴고,
말은 달리느라 바빴고,
양들은 양치기 개를 신경쓰느라 바빴고,
다른 오리들은 노느라 바빴다.

그래서 내 이야기를 들어주는 동물들은 없었다.

다음날, 밤에 "피유우웅! 쿵!"하는 소리가

계속 나서 난 들판 쪽을 봤다.

그때 번개 같은 무언가가 엄청 빠르게 떨어지고 있었다.

나는 얼른 들판 쪽으로 뛰어갔다.

그때 신기하게 생긴 한 비행기가 착륙했다.

그리고서는 문이 열리더니 한 몬스터가 나타났다!

"몬, 몬스터다!!"

나는 너무 놀라서 말을 더듬으며 말했다.

"좋아. 그럼 우리와 같이 몬스터 나라로 가자!"

"뭐, 뭐?"

"아이 참, 우리랑 같이 몬스터 나라로 가자고!!!"

"하지만 돌아올 순 없잖아!"

"그건 나중에 말해줄게! 따라와!"

난 신기한 비행기에 탑승했다.

"자, 그럼 출발!"

"자, 잠깐!! 나 안전벨트 안했어어억!! 꽥!!!!"

난 엄청 무서운 마음이 드는 채로 비행기로 몬스터 나라로 갔다.

제2화 몬스터 나라

“자, 도착!”

“으아아아.”

난 너무 무서워서 휘청거렸다.

“자! 저기가 바로 몬스터 나라 입구야!

빨리 들어가자!”

난 몬스터 나라 입구로 들어갔다.

거기에는 많은 몬스터들로 가득했다.

몬스터 모자, 옷, 가방, 신발...

심지어는 TV도 있었다.

난 몬스터를 찾아서 너무 좋았다.

"잠깐! 몬스터들은 무엇을 먹고 살아?"

"우리나라에서는 쥐를 먹어."

"뭐?! 쥐!!??"

"응! 얼마나 맛있는데!

그리고 우리나라에서는 한 달에 한 번씩 쥐 백 마리 잡기 운동을 해. 그래서 잡은 쥐를 한 달 동안 먹지!"

"내, 내 귀가 의심스러운데?!"

"네 귀는 멀쩡해!

자, 쥐 꼬치를 맛보게 해 줄게!

따라와!"

"으악! 쥐 꼬치는 싫어!!"

난 어쩔 수 없이 몬스터들과 쥐 꼬치를 파는 곳으로 갔다.

"이 쥐 꼬치 하나에 얼마예요?"

몬스터 한 마리가 물어보았다.

“2 곤입니다.”

“여기서는 돈 단위가 ‘곤’이야?

1 곤은 얼마야?”

“응! 여기의 돈 단위는 ‘곤’이야.

한국의 돈으로 치면 1 곤은 약 10,000원이야.”

“그럼 쥐 꼬치 한 개가 꽤 가격이 좀 있네!”

“응! 그럼 맛있다는 거니까 한 입 먹어봐!”

몬스터가 내 입속으로 쥐 꼬치를 넣었다.

“으아악!! 잠깐!! 어?

꽤 맛있네!”

난 흥분된 마음을 가라앉히며 맛있다고 말했다.

“그치? 봐~! 맛있다니까~!”

나는 쥐꼬치를 먹으며 다른 곳을 구경했다.

구경을 마친 후 나는 몬스터의 집으로 향했다.
“우와~! 되게 크네!”

난 몬스터 집이 궁전만큼 큰 것을 보고 감탄했다.
“그치? 아! 참!
내 소개를 안 했네!
나는 티티야.
그리고 얘는 해니.
얘는 네리야!”

“아~ 그렇구나!
난 짹이야. 잘 부탁해!”

우리는 자기소개를 마친 후 몬스터 집으로 들어갔다.
“여기가 입구고, 저기가 출구야.”
“응!”
나는 티티가 안내하는 곳으로 갔다.

몬스터 집에는 맛있는 뷔페도 있었다.
또 아주 푹신하고 큰 침대도 많았다.
심지어 몬스터 집은 10층까지 있었다.

우리 동은 10층이었다.
“자, 잘 기억해. 우리 10층의 1000호임.”

“원래 재는 말투가 좀 딱딱해.”
티티가 네리가 말한 것을 듣고 말했다.

“너도 임.”
“흥! 거짓말하지 마!”
“너야말로 거짓말하지 마!”
“무슨 소리야!
네 말투가 딱딱한 건 사실이잖아!”

“애, 애들아! 싸우지 마.”
내가 말려도 티티와 네리는 계속 티격태격했다.

“재들은 원래 항상 티격태격해.
그러니까 그냥 신경 쓰지 마.”
해니가 말했다.

말다툼이 끝난 후, 우린 10층 1000호로 갔다.
1000호로 들어가니 엄청나게 좋았다.

"우와! 여기 완전 좋다!"

내가 말했다.

"야! 너 오늘 빌려 간 1 곤 갚아야 함."

"야! 그건 꽥이가 와서 잠깐만 빌린거잖아!"

"그런게 무슨 상관이야!"

"넌 맨날 안 좋은 얘기만 해!"

"너, 지금 말 다 했냐?!"

"그래! 다 했다. 왜!?"

"으... 더 이상 못 참겠어!"

티티와 네리는 말다툼에서 결국 싸움으로 번졌다.

"애들아! 그만 싸워!"

나랑 해니가 말리려고 했지만, 여전히 싸움은 계속됐다.

드디어 우리가 싸움을 말리자, 티티와 네리는 서로 돌아섰다.

"널 친구라고 생각한 내가 한심하다!"

티티가 말했다.

"나도 임!"

네리도 말했다.

120
90
30
60

제3화 티티와 네리의 다툼

티티와 네리가 다툰 지 3일이 지났다.

“티티와 네리를 어떻게 화해시키지?”

해니가 말했다.

“자연스럽게 화해하면 좋을텐데…”

내가 말했다.

티티와 네리는 요즘 계속 둘이 말하지도 않고, 모르는 척했다.

"애들아, 아침 먹자!!"
해니가 말했다.
우리는 아침을 먹으러 뷔페로 갔다.

역시 티티와 네리는 아무 말 없이 서로 거리를 약 10m 떨어져서 걸어갔다.
'쳇! 잰 날 투명 몬스터 취급을 하네!
나도 임!'

네리가 마음속으로 말했다.
'잰 정말 싫어!
기분 나쁜 얼굴이야!'
티티가 마치 네리의 마음속을 봤는지 티티도 마음속으로 말했다.

우리는 뷔페 안으로 들어갔다.
"우리 여기에 앉자!"
"그래!"

내가 말하자, 해니만 대답했다.

나는 해니 앞에 앉았다.
그때 네리가 말했다.
“재 앞에 앉으면 밥맛이 뚝 떨어져.
재 앞에 앉으면 차라리 밥을 안 먹겠다!”

“뭐?! 너, 너 지, 지금 말 다했냐?!!”

티티와 네리가 또 다툼이 생기자, 뷔페 안은 아수라장이 되기 시작했다.

접시는 깨지고, 음식은 바닥에 떨어지고....
완전히 난장판이 되었다.

“쿵! 쿵! 쾅! 쨍그랑!”

“애들아!!
제발 좀 그만 싸워!!”
해니가 말해도 싸움이 계속 나자, 우리는 겨우겨우 둘을 떼어냈다.

"퓨우우우우우웅! 퓨우우우우우웅!"
그러자 둘이 마주 보며 이런 소리를 냈다.

"해니야, 이게 무슨 소리야?"

"이건 아주 아주 아주 아주 아주 아주 아주 아주
화났을 때 몬스터들이 내는 소리야!

그럼 이제 더 큰 싸움이 일어날지도 모르는데...."
"히잉! 이 일을 어떻게 하지?!"
내가 말했다.

우리는 어떻게 화해하면 좋을지 생각했다.
하지만 생각하는 것은 힘들었고, 답은 나오지 않았다.

제4화 기쁨의 화해

해니와 꽥이는 티티와 네리가 어떻게 화해할 수 있을지 생각했다.

그때 꽥이가 말했다.

"그래! 우리가 티티와 네리에게 가서 말로 잘 화해할 수 있게 도와주는 거야!"

"좋은 생각이야!"

그렇게 우리는 서로 티티와 네리에게 가서 잘 화해할 수 있게 말로 도와주기로 했다.

쫵이는 티티에게 갔다.

"티티야, 너는 네리와 싸우면 기분이 어때?"

"정말 싫어!!"

티티가 화가 부글부글 끓어오르는 것을 간신히 참으며 뜨거운 온도로 말했다.

"그럼, 네리와 화해하면 기분이 어떨 것 같아?"

티티는 더 이상 말하지 않았다.

"그럼, 내 이야기를 해도 돼?"

"해 봐."

티티가 속상하고 네리에 대해 안 좋은 기분을 품고 말했다.

"그럼, 계속 싸우면 기분이 나쁘니까 내가 생각을 해 봤어. 뭐냐면....

너랑 네리랑 계속 싸우면 서로 기분만 나빠지잖아.

그래서 서로 화해하면 사이도 다시 가까워질 수 있고....

또 기분 좋은 일이 더 많이 생길 거야.
어때?
한번 도전해 볼래?"

티티는 한 1분 정도 생각을 해 보고 대답했다.
"그래! 좋은 생각이야!
내가 왜 이 해결 방안을 생각하지 못했을까....
도전해 볼게!

그리고 내가 자꾸 네리랑 싸우고 사고만 쳐서 정말 미안해."
"아니야. 이젠 괜찮아.
다음부턴 우리 같이 그러지 않으려고 노력해 보자.
노력하면 할 수 있어!"
"좋아!"

그렇게 티티와 꽥이는 해니와 같이 있는 네리에게로 갔다.

티티가 네리에게 말했다.

"네리야, 애들아, 내가 자꾸 싸우기만 하고 사고만 쳐서 정말 미안해. 다음부턴 그러지 않을게."

그러자 네리의 마음이 변했는지 티티에게 말했다.

"아니야. 나야말로 정말 미안해.
내가 계속 딱딱하게만 말해서 미안해.
나도 다음부턴 그러지 않으려고 노력할게."
"응!"
그렇게 티티와 네리는 화해했다.

티티와 네리는 화해하게 되어서 정말 기분이 좋았다.
정말로 기쁨이 넘치는 기쁨의 화해였다.

제5화 태풍의 습격

“주루루룩!”

“흠... 계속 비가 오네.”

해니가 창밖을 보며 말했다.

“힝... 그럼 밖에서 못 노는 거야?”

꽥이가 말했다.

“난 집에서 야구나 봐야겠다.”

네리가 야구 중계를 하는 TV를 켰다.

"안돼!
7 vs 1로 지면 어떻게!!"
네리는 피니 팀을 응원했다.
"힝.... 피니 팀도 지고 있고, 밖에도 못 나가고...."
짹이가 말했다.
"괜찮아.
집에서 재미있는 것을 찾아보자."
"그래!"
해니가 말하자 짹이가 말했다.

"똑똑!"
"어! 누가 왔다!"
짹이가 말했다.
"누구세요?"
해니가 말했다.
"피자 배달 도착했습니다!"
"아! 맞다!
오늘 피자시켰지! 감사합니다!"
해니가 피자를 받았다.

"애들아, 피자 먹자!"

꽥이가 말했다.

"예!! 피자다!"

그렇게 우린 피자를 먹고 재미있는 것이 없는지 찾았다.

"어! 애들아!

저기 좀 봐!"

야구를 보다 뉴스가 나오는 채널로 돌린 네리가 말했다.

뉴스에선 기사가 이렇게 나왔다.

"여러분!! 긴급입니다.

긴급!!!

지금 태풍이 갑작스럽게 와서 집이 날아갑니다!!

어서 조심해서 초강력 대피소로 지하길을 타서 대피하십시오!!"

"으악! 어떻게!!"

"괜찮아. 이 문을 열면 초강력 대피소로 가는 지하길이 나와!"

해니가 지하길 문을 열었다.

우리는 엄청 빠르게 지하길을 지나 초강력 대피소로 갔다.

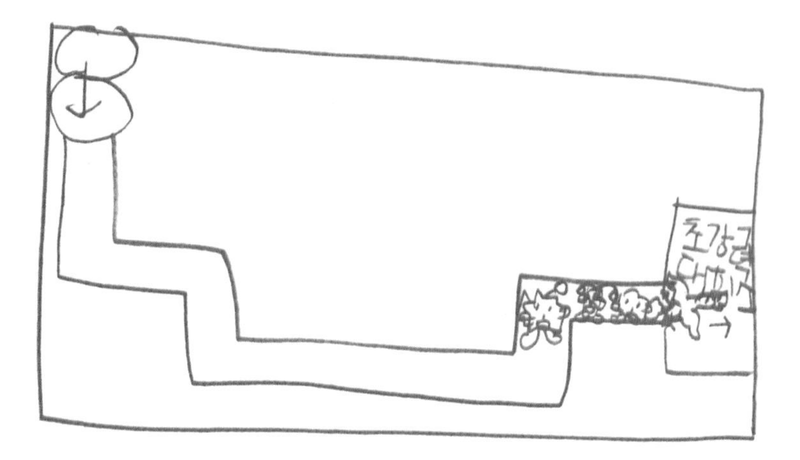

“여기가 바로 초강력 대피소야?”
“응!”
꽥이가 말하자, 티티가 대답해 줬다.

초강력 대피소에는 많은 몬스터들이 있었다.

“삐이이이이이잉!!!!”
갑자기 사이렌 소리가 났다.

바로 다른 집들이 날아가고 있다는 거였다.
그러자 안내요원이 기둥을 꼭 잡으라고 했다.

우리는 기둥을 아주 아주 아주 아주 꽉 잡았다.
그러자 초강력 대피소의 땅은 붙어있고 천장만 날아갔다.
우린 천장에 붙어있는 기둥을 꼭 잡고 날아갔다.

“으아아아악!!”
“어, 어.... 잠, 잠깐!
우리 우주로 가는거 아냐?!!!”
꽥이가 말했다.

우리 잠시 잠이 들었다.

“쾅! 콰지직!!”

“으어어엇!”

꽥이가 소리쳤다.

“어? 여긴 달이잖아?!”

티티가 말했다.

“휴~!

내가 자동 우주복 버튼을 눌러서 다행이야.

하마터면 산소통을 못 매고 있었을 거야.”

해니가 말했다.

“그나저나 우리 어떻게 다시 지구로 가지?”

네리가 말했다.

“그러고 보니 초강력 대피소가 다 찌그러졌네.

우리가 너무 빨리 달렸나 봐.”

해니가 말했다.

“괜찮아. 내가 몬스터에 대해 열심히 공부했는데 몬스터는 우주에서 지구까지 갈 수 있다고 했어.

우리 같이 힘을 합치면 할 수 있어!”

“좋아!”

내가 말하자, 모두가 대답했다.

우리는 모두 같이 힘을 모아 도전했다.

하지만, 쉽진 않았다.

또한, 넘어지고 힘들었지만 우리는 포기하지 않고 계속 시도했다.

드디어 비행기가 완성되었다.

"됐어! 준비가 끝났어!

이제 할 수 있어!"

나는 설렘과 기대, 긴장, 약간의 걱정과 무서움이 섞인 마음으로 말했다.

우리는 심호흡을 하고 3, 2, 1을 셌다.

"3, 2..... 1!!

출발!!!"

우리는 힘껏 날아올랐다!

"우, 우와! 진, 진짜 날고 있어!!!"

나는 가슴이 벅차서 말했다.

달은 우리에게서 아주 조금씩 멀어졌다.
우리는 다시 몬스터 나라로 도착했다.

그때 티티가 말했다.
“꽥이야, 네가 처음에 어떻게 다시 집으로 갈 수 있냐고 물어봤잖아.
그때 내가 나중에 말해준다고 했잖아.
바로 지금이 돌아갈 시간이야.”

“뭐, 뭐?!
벌써 떠난다고?!!
힝... 안돼!”
내가 너무 아쉬워서 말했다.
“괜찮아. 언젠가 다시 이런 일이 생길 거야.
그때 다시 만나자.
아쉽지만, 이제 돌아갈 시간이야.
나도 많이 아쉬워.
우리가 처음 만났을 때, 같이 쥐도 사 먹고,
우리의 싸움도 막아주고,
달도 갔다 왔잖아.
난 정말 너를 만나서 행복했어.”

그러자 네리도 말했다.

"나도 정말 행복하고 좋았어.

우리의 싸움도 막아줘서 정말 고마워.

내가 너한테 자꾸 딱딱한 말투로 말해서 미안해."

해니도 곧이어 말했다.

"나도 정말 행복했어.

나랑 같이 싸움도 막아주고....

나에게 친절하게 대해줘서 정말 고마워."

"애 애들아....!"

나는 너무나도 기쁘고 아쉬워서 친구들을 안았다.

"자! 그럼 이 비행기는 선물이야!

이걸 타고 가면 돼!"

"어? 이건 우리가 처음 만났을 때 탄 비행기 아냐?"

"맞아!"

내가 말하자 티티가 대답했다.

"그럼 나에게 소중한 선물을 줬으니까....

나도 선물을 줄게!"

내가 말했다.

"우와! 이건 쥐 꼬치 5개 아니야?!"

해니가 놀라서 물었다.

"응! 어젯밤에 몰래 샀지~!"

내가 말했다.

"정말 고마워!"

친구들이 말했다.

"그럼, 이제 작별 인사할 시간이네."

네리가 말했다.

우리는 마지막 포옹을 했다.

나는 선물 받은 비행기에 올라탔다.

내가 날아오르기 버튼을 누르며 말했다.

"그럼, 모두 잘 있어. 안녕!!"

"안녕!!"

친구들과 몬스터들이 인사했다.

나는 비행기를 운전해 농장으로 갔다.

안녕!!!~!!

제6화 집으로 돌아가는 길

나는 열심히 운전해서 농장에 도착했다.

나는 농장 동물들에게 가서 내가 지금 쓰고 있는 이 책을 보여줬다.

그랬더니 동물들이 갑자기 내 이 책을 보여달라고 난리가 났다.

모두가 이 책이 내가 쓴 책 중에 가장 재밌다고 했다.

나도 정말 기분이 좋았다.
이제 동물들이 내 책을 읽으려고 하니까.

아!
또, 한 가지 좋은 점이 있다.

바로 내 꿈이 몬스터 작가였는데 난 이번 여행에 가서 몬스터도 만나고 지금 몬스터 책도 쓰고 있지 않나!!!

결국 난 열심히 공부하고 노력한 끝에 꿈을 이뤘다.

친구들도 나처럼 열심히 노력해서 꼭 꿈을 이뤘으면 좋겠다.

그때 젖소가 물었다.
"근데 몬스터가 진짜 있어?"

나는 이렇게 대답했다.
"비밀!"

하지만 내가 친구들한테만 말해주는 거다.

절대로 아무한테도 말하면 안 돼!

사실 몬스터는 아마 있을지도 몰라!

—끝—

작가의 말

김태희

꿈을 향해 달려가는
짹이의 모험 이야기!

여러분은 이 몬스터 책을 읽고 어떤 생각이 들었나요?
먼저 짹이의 꿈은 몬스터 작가였습니다.
짹이는 몬스터를 꼭 만나고 싶었습니다.
하지만, 주변의 친구들은 모두 몬스터가 없다고 생각했죠.
하지만, 짹이는 누가 뭐래도 자신의 꿈을 이루려고 노력했습니다.
결국 짹이는 어느 날 밤에 갑작스럽게 몬스터를 만나게 됩니다.
그렇게 몬스터인 티티, 네리, 해니와 함께 친구가 됩니다.

하지만, 티티와 네리의 다툼으로 어려움을 겪게 됩니다.

하지만, 해니와 꽥이는 티티와 네리가 화해하게 도와줘서 기쁨의 화해를 하게 되었습니다.

그러던 어느 날, 태풍이 와서 초강력 대피소로 갔다가 꽥이와 몬스터들은 달까지 가게 됩니다.

하지만 달에서도 같이 힘을 합쳐서 비행기를 만들어 다시 몬스터 나라로 옵니다.

돌아갈 시간이 되자, 꽥이는 아쉬움을 갖고 다시 농장으로 돌아옵니다.

여기서 끝이 아닙니다!

꽥이가 열심히 공부하고 노력한 끝에 결국 꽥이의 책을 동물들이 좋아하게 되었고, 꽥이는 몬스터 작가가 되어서 꿈을 이룹니다.

여러분도 꼭 열심히 노력해서 꼭 꿈을 이루세요!!☆

지은이: 김태희

출판한 책 :

떠돌이 개 덕구(부크크)

야구책(부크크)